O
profeta

Khalil Gibran

TRADUÇÃO
Elisa Nazarian

AJNA

Prefácio   9

A chegada no navio   19

Sobre o amor   28
Sobre o casamento   34
Sobre os filhos   38
Sobre a doação   42
Sobre o comer e o beber   46
Sobre o trabalho   48
Sobre a alegria e a tristeza   52
Sobre a casa   56
Sobre as vestes   60
Sobre comprar e vender   62
Sobre o crime e o castigo   64
Sobre as leis   71
Sobre a liberdade   74

Sobre a razão e a paixão   79
Sobre a dor   82
Sobre o autoconhecimento   84
Sobre ensinar   88
Sobre a amizade   90
Sobre o ato de falar   94
Sobre o tempo   96
Sobre o bem e o mal   100
Sobre a prece   103
Sobre o prazer   106
Sobre a beleza   112
Sobre a religião   117
Sobre a morte   122

A partida do navio   125

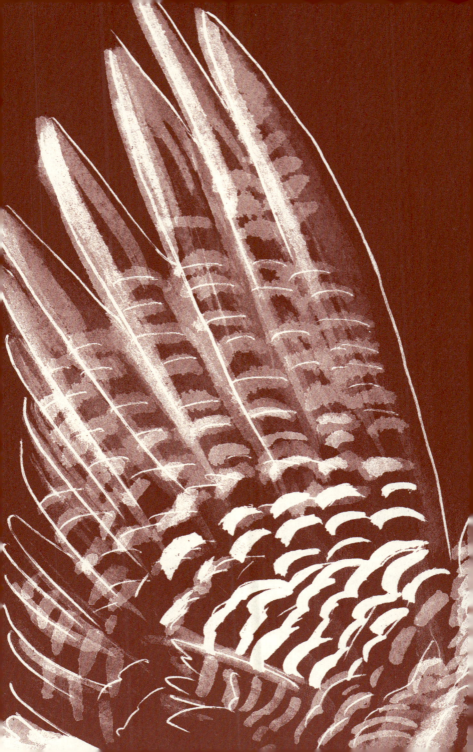

Prefácio

Foi com muita satisfação que recebi a notícia de que a Ajna Editora pretendia publicar esta nova edição do livro O *profeta*, de Khalil Gibran, por se tratar de uma obra de perfil atemporal e essencial, que não deixará, creio eu, de surpreender as gerações atuais e mesmo as futuras.

Para quem não conhece, *O profeta* é uma grande fábula com vinte e oito ensaios poéticos, em que um sábio imaginário, Almustafa, ensina, em cada ensaio, sobre os mais relevantes assuntos da vida, tais como a amizade, o amor, o casamento, os filhos, a casa, o comer e o beber e outros de igual importância.

Trata-se de uma prosa poética de grande beleza e profundidade, que tende a surpreender o desavisado. Foi escrita pelo poeta libanês radicado nos Estados Unidos, Khalil Gibran, e publicada originalmente em 1923. Consiste na obra mais conhecida de Gibran, sendo traduzida para diversos idiomas, tornando-se um dos livros mais traduzidos da história e que nunca esteve fora de catálogo.

Gibran é considerado, hoje, um dos poetas mais lidos de todos os tempos, e tido como um gênio tanto no Ocidente quanto no Oriente Médio. *O profeta* é, hoje, o poema mais conceituado do século xx, além de ser o livro mais lido do século.

Tudo começou com uma primeira impressão reticente e temerosa de dois mil exemplares, em 1923. A demanda pelo livro dobrou no ano seguinte – e dobrou sucessivamente por alguns anos.

Mas quem é este escritor de sucesso tão extraordinário? Gibran Khalil Gibran nasceu em 6 de dezembro de 1883, na cidade de Bcharre, na base da Montanha do Cedro, ao norte do Líbano. Seu nome transformou-se em apenas "Khalil Gibran" por um erro de registro na escola que primeiro frequentou em território norte-americano. Aos 11 anos de idade, foi com a mãe e os três irmãos para os Estados Unidos, mais especificamente para Boston, deixando para trás o pai, rude, alcoólatra e viciado em jogos, além de acusado, na época, de desonestidade na coleta de impostos. Gibran encobriu essa história com episódios fantasiosos sobre sua infância, que foi criando ao sabor de sua imaginação.

Em 1898, Gibran retorna para casa para frequentar a escola Al Hikma, em Beirute, a fim de não se esquecer dos valores e costumes de sua cultura pátria. Retornando quatro anos depois, perde sucessivamente a irmã Sultana, de 14 anos, e o meio-irmão mais velho, Boutros, ambos para a tuberculose. Meses depois, vai-se a mãe, Kamila, de câncer. A irmã mais jovem, Mariana, passa a sustentar sua pequena família com o seu ofício de costureira. Pouco depois, realizou sua primeira exposição de desenhos. Para quem não o sabe, Gibran passou toda a sua vida dedicando-se simultaneamente aos ofícios de pintor e de escritor. Sua pintura, de linha simbolista, inspira-se fortemente no trabalho do pintor e escritor inglês do século XVIII e do XIX, William Blake.

Depois, vem o encontro com Mary Elizabeth Haskell, a fantástica norte-americana que se tornou mecenas, admiradora, revisora de seus trabalhos e, quiçá, apaixonada. Trocam cartas por toda a vida: em vinte anos, 325 cartas de Gibran e 290 de Haskell, enviadas até as imediações da data da morte de Gibran. A publicação dessas cartas por Virginia Hilu é um assunto à parte, que não se deve deixar de conhecer.

Depois disso, vem a temporada de dois anos em Paris para estudar pintura (patrocinada por

Haskell), a publicação de obras em árabe e, posteriormente, em inglês, (incentivado mais uma vez por Haskell), a decisão de viver em um estúdio em Nova York, a publicação de *O profeta*, em 1923, o sucesso, a doença e a morte em 1931, por cirrose hepática e uma tuberculose incipiente, em um dos pulmões.

E assim foi: místico, mas, ao mesmo tempo, nunca preso a uma única religião, profundo admirador da figura de Jesus Cristo, mas também do Sufismo e da Fé Bahá'í. Nacionalista e militante na causa da libertação da Síria das mãos dos turcos otomanos; porém, em outros momentos, sereno e bem acima dos dramas históricos de seu tempo. Admirador do pensamento de Nietzsche e de Blake, mas igualmente dos preceitos da Bíblia cristã. Entretanto, quando traça suas linhas nas páginas de *O profeta*, ele não é ninguém, nem recebe influência de ninguém: ele é simplesmente Gibran. Em não tão numerosas passagens, na história da literatura humana, a beleza da forma e a profundidade mística do conteúdo abraçaram-se de forma tão intensa.

Desde a sua morte, monumentos em sua homenagem foram construídos em diversos países do mundo; reis, políticos, artistas e homens comuns tomaram esta obra como livro de cabeceira e aprenderam a ver a beleza em todos os aspectos relevantes de suas vidas através deste pequeno livro. Ele não apenas promove o encontro de dois mundos, Oriente Médio e Ocidente, mas o tão necessário encontro do homem consigo mesmo: "Vim a este mundo para escrever meu nome na face da vida com letras grandes".

Sabemos que seu portfólio como pintor de retratos foi longe: Abdu'l-Bahá, Debussy, Rodin, Carl Jung, Maeterlinck, W. B. Yeats, Laurence Housman, Sarah Bernhardt, Ruth St. Denis, o jovem Garibaldi. Mas parece que suas palavras alcançaram distâncias ainda maiores.

Sou filósofa e, ainda que seja verdadeiro o que se conta a respeito de Gibran não gostar de ser chamado de filósofo, não posso deixar de vê-lo sob esse ponto de vista, uma vez que foi através de tal ângulo de seu trabalho que o encontrei. Há toda uma resistência, nos dias em que escrevo estas linhas, por considerar um filósofo como alguém que não apenas memoriza ideias alheias, mas é capaz de criar as próprias, originais, a partir de uma visão simbólica que desvela aspectos pouco conhecidos da vida. São escassos os criadores e abundam aqueles que fazem uma análise combinatória daquilo que já foi pensado, dito e feito e chancelam esta combinação como uma base teórica própria. Com Gibran, vemos as ideias emanando da própria vida, e isso é um espetáculo tão incomum quanto belo de se ver.

Perceba este trecho, parte do capítulo de *O profeta* que discorre sobre a prece: "Não posso ensiná-los a orar com palavras. Deus não ouve as suas palavras a não ser quando Ele próprio as murmura através de seus lábios".

Essa passagem mostra o conceito platônico do mundo das ideias e o homem como aquele que pode adquirir a dimensão necessária para ter a cabeça no mundo das ideias e os pés no mundo concreto, tornando-se uma ponte, uma via de acesso, como um "pontífice". Ele capta e traz esses arquétipos ao mundo quando, por esforço próprio, possui uma meta de elevação psicológica, moral e espiritual e caminha para ela determinadamente. Trata-se de um ideal de alcance da sabedoria: o homem empresta sua voz à voz da natureza, da vida, de Deus e, através de sua vida particular, uma parcela dos propósitos deste plano se realiza.

"A Eternidade está apaixonada pelas criações do tempo", dizia William Blake, autor que ele tanto admirava; sim, sem dúvida, quando estas criações têm a ousadia de romper o tempo e abraçar-se à eternidade, quem não se apaixonaria por elas? Quando alguma grande criação deste mundo flui sobre o tempo, insensível à sua corrosão, ela pertence a essa categoria. Perceba que nada, na obra de Gibran, faz menção a qualquer circunstância passageira ou momento histórico específico, ou seja, nada em sua mensagem, sobretudo aqui, em *O profeta*, é passageiro...

Veja esta outra passagem, no capítulo sobre a beleza: "Povo de Orphalese, a beleza é a vida quando a vida desvenda seu rosto sagrado. Mas vocês são a vida e o véu".

Veja bem: algo em nós é véu, e algo em nós é vida. Apegamo-nos a esse véu, pois é o único que alcançamos ver, mas ele cairá roto, algum dia, pois esse é o destino de todos os véus. Então veremos o rosto desnudo da vida, que é nossa autêntica identidade. Mas ainda agora, com o véu sobre nós, há que saber discernir qual é a voz dele e qual é a nossa e, ao distinguir, dar o comando de nossas vidas à voz legítima. Lembra-nos da máxima grega de Delfos: "Homem, conhece-te a ti mesmo...", e da voz de Píndaro, poeta grego: "Torna-te quem és".

E ainda, a título de conclusão, esta outra passagem, no capítulo "Sobre o comer e o beber":

> *Pelo mesmo poder que te imola, eu*
> *também serei imolado, e eu também*
> *servirei de alimento para outros;*

> *Pois a lei que te entregou às minhas mãos me entregará a mãos mais poderosas.*
> *Teu sangue e meu sangue nada são senão a seiva que nutre a árvore do paraíso.*

O sentido de vida aí descrito mostra cada ser vivo colocando-se a serviço de algo que ainda servirá mais ao Todo do que ele, e esta segunda vida também fará o mesmo, e toda vida se justificará por "nutrir a árvore do paraíso", ou seja, fazê-la maior, para que lance ainda mais suas sombras sobre a terra, de tal forma que mais e mais vidas possam percebê-la.

Fora isso, sem o espírito idealista de deixar o mundo um pouco melhor do que aquele que encontramos, o que é a vida? Um mero sobreviver buscando satisfazer aos instintos da forma mais prazerosa possível, mera perpetuação de procedimentos necessários à continuidade dos corpos, requintado por um jogo de aparências que o faz parecer mais digno do que realmente é. Mircea Eliade, filósofo do século XX, diz, em sua obra *O sagrado e o profano*, que o sagrado é a função de dar sentido. Quando nossa vida serve a algo maior do que ela mesma, é dotada de significado e se sacraliza. Fora isso, é banalização, por muito que não saibamos nem queiramos saber seu verdadeiro nome. Enfim, o "sacro ofício" de buscar viver como seres humanos é o que enobrece cada um de nossos momentos. Algumas composições musicais sempre me pareceram de um caráter tão especial, que é como se seus criadores tivessem invocado a Deus com tanta contundência e perícia que Ele não tivesse tido a chance de declinar do convite, e estivesse ali, pairando sobre elas. A "Lacrimosa", conhecida passagem do Réquiem de Mozart, além de algumas outras, transmite ao ouvinte atento essa sensação. E algumas obras de literatura também o fazem. Portanto, desafio você, caro leitor que se lança agora a esta tão especial e marcante leitura, que busque essa sensação. Quem sabe? Simplesmente apure os ouvidos e esteja atento. Boa leitura (ou boa aventura) para você.

Lúcia Helena Galvão

A chegada do navio

Almustafa, o eleito e amado, na aurora de seu dia, esperara doze anos na cidade de Orphalese pelo retorno de seu navio, que o levaria de volta para a ilha onde nascera.

E no décimo segundo ano, no sétimo dia de Ailul, mês de colheita, subiu a colina além dos muros da cidade e olhou em direção ao mar; e viu seu navio vindo com a bruma.

Então, as portas de seu coração se abriram e sua alegria voou para longe sobre o mar. E ele fechou os olhos e rezou nos silêncios de sua alma.

Mas ao descer a colina, foi tomado pela tristeza, e pensou com o seu coração:

Como posso ir em paz e sem tristeza? Não, não deixarei esta cidade sem uma ferida na alma.

Longos foram os dias de dor que passei dentro destes muros, e longas foram as noites de solidão; e quem pode deixar sua dor e solidão sem tristeza?

Espalhei por estas ruas tantos fragmentos do espírito, e tantos filhos de meu anseio caminham nus por entre essas colinas. Não posso afastar-me deles sem dor e sem pesar.

Não é de uma veste que estou me despindo hoje, mas de uma pele que arranco com minhas próprias mãos.

Não é um pensamento que deixo para trás, mas um coração suavizado pela fome e pela sede.

No entanto, não posso me demorar mais.

O mar, que chama todas as coisas para si, me chama, e devo embarcar.

Pois ficar, ainda que as horas ardam à noite, seria congelar e cristalizar, e ficar preso num molde.

De bom grado, levaria comigo tudo que há aqui. Mas como poderia?

A voz não pode levar a língua e os lábios que lhe deram asas. Sozinha deve seguir o éter.

E sozinha, sem seu ninho, a águia deve voar através do sol.

Ao chegar ao sopé da colina, ele se voltou mais uma vez para o mar, e viu seu navio se aproximar do cais, e na proa estavam os marinheiros, homens de sua própria terra.

E sua alma clamou por eles, e ele lhes disse:
Filhos de minha mãe ancestral, vocês, cavaleiros das marés,
Tantas vezes navegaram em meus sonhos. E agora, chegam em meu despertar, e este é meu sonho mais profundo.
Estou pronto para ir, e minha ânsia com as velas infladas aguarda o vento.
Só mais um suspiro neste ar parado, só mais um olhar amoroso lançarei para trás,
E então estarei entre vocês, um navegante entre navegantes.
E você, vasto mar, mãe insone,
Que é paz e liberdade tanto para o rio quanto para o riacho,
Só haverá mais uma curva nesse riacho, só mais um murmúrio nessa clareira,
E então irei até você, gota infinita num oceano infinito.

E enquanto caminhava, ele viu ao longe homens e mulheres que deixavam suas plantações e videiras, e se apressavam para os portões da cidade.

E escutou as vozes chamando seu nome, gritando de campo em campo, contando uns aos outros sobre a chegada do navio.

E ele disse a si mesmo:
Seria o dia da separação o mesmo do encontro?
E um dia dirão que minha alvorada era, na verdade, minha aurora?
E o que darei àquele que deixou seu arado no campo ou àquele que parou a prensa em seu vinhedo?
Meu coração deverá se tornar uma árvore carregada de frutos que eu possa recolher e dar a eles?
E meus desejos fluirão como uma fonte para que eu possa encher seus copos?
Serei uma harpa para que as mãos do Todo-Poderoso me toque ou uma flauta, para seu sopro me atravessar?
Eu sou um caçador de silêncios, que tesouros terei descoberto nos silêncios que possa repartir com convicção?
Se este for meu dia de colheita, em que campos terei semeado as sementes, e em que esquecidas estações?

Se é de fato a hora de erguer minha lanterna,
não é minha chama que brilhará em seu interior.
   Vazia e apagada, erguerei a minha lanterna,
   E o guardião da noite deverá enchê-la com óleo
e, também, deverá acendê-la.

   Ele disse isso com palavras, mas muito em seu
coração ficou sem ser dito. Porque ele mesmo não
poderia expor seu segredo mais profundo.

   E quando entrou na cidade, o povo todo veio
ao seu encontro, e todos clamavam por ele a uma
só voz.
   E os anciãos da cidade se adiantaram e disseram:
Não nos deixe ainda.
   Você foi a luz em nosso crepúsculo, e sua juventude nos deu sonhos para sonhar.
   Você não é um estranho entre nós nem um hóspede, mas nosso filho e nosso amado.
   Que nossos olhos não sofram ainda ao buscar
o seu rosto.

   E os sacerdotes e as sacerdotisas lhe disseram:
   Que as ondas do mar não nos separem agora,
e os anos que passou entre nós não se tornem
uma lembrança.

Você caminhou entre nós em espírito, e sua sombra tem sido a luz que ilumina nossa face.

Muito o amamos. Silencioso foi o nosso amor, que com véus foi encoberto.

Mas agora ele clama por você, sem receio de ser revelado.

Assim é o amor, só conhecemos sua profundidade no momento da separação.

E outros também vieram e imploraram que ficasse. Mas ele não respondeu. Apenas abaixou os olhos, e os que estavam próximo viram as lágrimas caindo sobre seu peito.

E ele e as pessoas seguiram em direção à grande praça em frente ao templo.

E do santuário saiu uma mulher chamada Almitra. Ela era profetisa.

E ele a olhou com demasiada ternura, por ter sido a primeira a procurá-lo e por acreditar nele, quando fazia apenas um dia que estava na cidade.

E ela o saudou dizendo:

Profeta de Deus, que busca o que está além, por muito tempo observa o horizonte em busca do seu navio.

E agora seu navio chegou e você precisa partir.

Profundo é seu desejo pela terra de suas lembranças, morada de seus maiores anseios; e nosso amor não o prenderá nem nossas necessidades o impedirão.

No entanto, antes que nos deixe, pedimos que fale conosco e nos oferte a sua verdade.

E nós a daremos a nossos filhos, e eles a seus filhos, e ela não perecerá.

Em sua solidão você testemunhou nossos dias, e em sua vigília escutou o choro e o riso de nosso sono.

Por isso, agora revele a nós mesmos e conte-nos tudo o que lhe foi mostrado daquilo que há entre nascimento e morte.

E ele respondeu:

Povo de Orphalese, do que posso falar, a não ser daquilo que neste momento se move dentro de suas almas?

Sobre o amor

Então Almitra disse: fale-nos sobre o amor.

E ele levantou a cabeça e olhou para o povo, e um silêncio pairou sobre todos. E com uma voz potente, ele disse:

Quando o amor acenar para vocês, sigam-no,
Embora seu caminho seja árduo e íngreme.

E quando suas asas os envolverem, rendam-se a ele,
Embora a espada escondida entre suas plumas possa feri-los.

E quando ele falar com vocês, acreditem,
Embora sua voz possa estilhaçar seus sonhos, como o vento norte devasta o jardim.

Porque assim como o amor os glorifica, ele também os crucificará. Assim como ajuda em seu crescimento, o mesmo o faz em sua poda.

Assim como sobe à sua altura e acaricia seus ramos mais tenros, que tremulam ao sol,
Também descerá às suas raízes, e as sacudirá onde elas se entranham à terra.

Como feixes de trigo, ele os junta a si.
Ele os debulha para deixá-los nus.
Ele os peneira para livrá-los da sua palha.
Ele os mói até a brancura.
Ele os amassa até ficarem flexíveis;
E então os destina a seu fogo sagrado, para que se tornem o pão sagrado no sagrado banquete de Deus.

O amor fará tudo isso com vocês, para que possam conhecer os segredos de seu coração, e assim conhecendo se tornem um fragmento do coração da Vida.

Mas se por medo procurarem apenas a paz do amor e o prazer do amor,
Então é melhor que cubram sua nudez e saiam da eira do amor,

Para o mundo sem estações, onde rirão, mas não todo o riso, e chorarão, mas não todas as lágrimas.

O amor não oferece nada além de si mesmo e nada exige além de si mesmo.
O amor não possui nem será possuído.

Porque o amor em si é suficiente.
Ao amar não se deve dizer: "Deus está em meu coração", e sim, "estou no coração de Deus".
E não pense que se possa dirigir o rumo do amor, porque o amor, se o julgar merecedor, dirigirá seus rumos.

O amor não tem outro desejo senão realizar a si mesmo.
Mas, se amarem e buscarem outros desejos, cuidem para que sejam estes:
Dissolver-se e ser como um rio que corre e canta sua melodia para a noite.
Conhecer a dor de sentir tanta ternura.
Ferir-se pelo seu próprio entendimento do amor;
E sangrar de bom grado e com alegria.
Acordar ao amanhecer com um coração alado e agradecer por mais um dia de amor.
Descansar ao meio-dia e meditar sobre o êxtase do amor;

Voltar para casa com gratidão ao entardecer;
E então dormir, com uma prece para o ser amado no coração e uma cantiga de louvor nos lábios.

Sobre o casamento

Então, Almitra falou mais uma vez e disse:
E quanto ao casamento, mestre?
E ele respondeu dizendo:
Vocês nasceram juntos e juntos permanecerão para sempre.
Estarão juntos quando as asas brancas da morte dispersar seus dias.
Sim, deverão estar juntos até na lembrança silenciosa de Deus.
Mas permitam que haja espaço na união,
E que os ventos celestiais dancem entre vocês.

Amem um ao outro, mas não permitam que o amor se torne uma prisão;
Que ele seja um mar em movimento entre as fronteiras da alma.

Encham a taça um do outro, mas não bebam de uma só taça.

Deem um ao outro o pão, mas não comam da mesma fatia.

Cantem e dancem juntos com alegria, mas deixem que cada um fique a sós, em sua própria companhia.

Até mesmo as cordas do alaúde estão sozinhas, embora vibrem a mesma música.

Deem seu coração, mas não à posse um do outro,
Porque só a mão da Vida pode conter o coração.
E vivam juntos, mas não tanto,
Porque os pilares do templo ficam separados,
E o cipreste não cresce à sombra do carvalho.

Sobre os filhos

E uma mulher que segurava um bebê junto ao peito disse: fale sobre os filhos.
E ele falou:
Seus filhos não são seus filhos.
São filhos e filhas do anseio da Vida por si mesma.
Eles vêm por meio de vocês, mas não de vocês,
E, embora vivam junto de vocês, não lhes pertencem.

Podem lhes dar seu amor, mas não seus pensamentos,
Porque têm seus próprios pensamentos.
Vocês podem abrigar seus corpos, mas não suas almas,
Porque suas almas habitam a morada do amanhã, onde vocês não podem visitar nem mesmo em sonho.

Podem se esforçar para ser como eles, mas não busquem torná-los como vocês.

Porque a vida não volta para trás nem demora com o ontem.

Vocês são os arcos pelos quais seus filhos são lançados ao longe como flechas vivas.

O arqueiro vê o alvo no infinito, e puxa com força cada flecha para que ligeira voe longe.

Deixem-se na mão do Arqueiro por boa vontade;

Porque assim como Ele ama o voo da flecha, também ama o arco que é estável.

Sobre a doação

Então disse um homem rico: fale sobre a doação.
E ele respondeu:
Vocês doam muito pouco quando doam suas posses.
É quando doam de si mesmos que realmente estão doando.
Pois o que são suas posses senão objetos acumulados por medo de se precisar deles amanhã?
E amanhã, o que trará o amanhã para o cão com excesso de prudência, que enterra os ossos na areia sem vestígio, enquanto segue os peregrinos até a cidade santa?
E o que é o medo da necessidade, senão a própria necessidade?
Não é o medo da sede, diante de um poço que está cheio, a sede insaciável?

Há aqueles que doam pouco do muito que têm, e dão em troca de reconhecimento, e tal desejo oculto torna suas dádivas nocivas.

E há aqueles que têm pouco e doam tudo que têm. São os que creem na vida, na generosidade da vida, e sua arca nunca está vazia.

Há aqueles que doam com alegria, e a alegria é sua recompensa.

E há os que doam com sofrimento, e o sofrimento é seu batismo.

E há aqueles que doam sem sofrer ao dar, sem buscar alegria, e doam sem a consciência da virtude;

Doam assim como a murta exala sua fragrância no vale distante.

Pelas suas mãos, Deus fala, e por detrás de seus olhos Ele sorri sobre o mundo.

É bom doar quando for pedido, mas é melhor doar quando não for pedido, apenas pelo entendimento.

E para o generoso, a busca por quem receba é uma alegria maior que a doação.

E há algo que vocês conservariam?

Tudo o que vocês têm, um dia deverá ser dado;

Sendo assim, doem agora, para que o tempo da gratidão seja seu, e não de seus herdeiros.

Muitos dizem: "Eu doaria, mas apenas para quem merece".

As árvores em seu pomar não dizem isso nem os rebanhos em sua pastagem.

Eles doam para permanecer vivos, porque guardar para si seria perecer.

Certamente, aquele que merece dias e noites, é merecedor de tudo o mais que venha de vocês.

E aquele que mereceu beber do oceano da vida merece encher a taça em seu pequeno riacho.

E que virtude maior haverá que aquela que está na coragem, na confiança e, mais ainda, na caridade de receber?

E quem são vocês para que homens devam rasgar o peito e desvelar seu orgulho, para que apenas assim sejam vistos seu valor exposto e seu orgulho inabalável?

Tratem, primeiro, de merecer ser um instrumento da doação.

Porque, na verdade, é a vida que doa à própria vida, enquanto vocês, que se julgam generosos, são apenas testemunhas.

E quem recebe a doação – e todos são recebedores – não sinta a gratidão como um fardo, e assim não se torne um arreio para si mesmo e para aquele que doa.

É melhor se alçar junto com o doador em suas dádivas, como se fossem asas;

Porque estar excessivamente atento a sua dívida é duvidar da generosidade de quem tem a terra sincera como mãe e Deus como pai.

Sobre o comer e o beber

Então, o velho dono de uma pousada disse: fale sobre o comer e o beber.

E ele falou:

Bom seria se pudessem viver do perfume da terra e, como uma planta aérea, nutrir-se de luz.

Mas uma vez que precisam matar para comer e roubar o leite materno que sacia a sede do recém-nascido, então, que esses atos sejam de devoção.

E que sua mesa se torne um altar, onde os puros e inocentes da floresta e das planícies são sacrificados em nome do que é ainda mais puro e inocente no homem.

Ao matar um animal, digam a ele, em seu coração:

"Pelo mesmo poder que te imola, eu também serei imolado, e eu também servirei de alimento para outros;

Pois a lei que te entregou às minhas mãos me entregará a mãos mais poderosas.

Teu sangue e meu sangue nada são senão a seiva que nutre a árvore do paraíso."

E quando fincar os dentes numa maçã, digam a ela em seu coração:

"Suas sementes viverão em meu corpo,

E os rebentos do seu amanhã florescerão em meu coração,

E seu perfume será meu hálito,

E juntos celebraremos toda estação."

E no outono, quando levarem as uvas de suas vinhas para o lagar, digam em seu coração:

"Eu também sou uma vinha, e meu fruto será colhido para o lagar,

E como o vinho novo, serei mantido em tonéis eternos".

E no inverno, quando extraírem o vinho, que em seus corações haja uma canção para cada taça;

E que em toda canção haja a lembrança dos dias de outono, da vinha e do lagar.

Sobre o trabalho

Então um lavrador disse: fale-nos sobre o trabalho.
E ele respondeu, dizendo:
Vocês trabalham para que possam acompanhar o ritmo da terra e da alma da terra.
Porque estar ocioso é se tornar um estranho às estações, e se afastar da procissão da vida, que marcha majestosa e submissa em direção ao infinito.

Quando trabalham, são uma flauta por onde o sussurrar das horas torna-se música.
Qual de vocês seria o junco, mudo e silencioso, quando tudo mais canta em uníssono?

Sempre lhes disseram que o trabalho é uma maldição e o esforço, um infortúnio.

Mas eu lhes digo que, quando trabalham, vocês realizam parte do sonho mais distante da terra, destinado a vocês quando esse sonho nasceu,

E ao trabalhar, vocês estão, na verdade, amando a vida,

E amar a vida através do trabalho é ter intimidade com o segredo mais profundo da vida.

Mas se, ao sofrer, vocês chamam o nascimento de punição e o sustento do corpo de maldição escrita em sua testa, então eu respondo que só o suor poderá lavar o que está escrito em sua testa.

Também lhes disseram que a vida é escuridão, e em seu cansaço ecoa o que foi dito pelo cansado.

E eu digo que a vida é mesmo escuridão, a não ser quando há vontade,

E toda vontade é cega, a não ser quando há conhecimento,

E todo conhecimento é inútil, a não ser quando há trabalho,

E todo trabalho é vazio, a não ser quando há amor;

E quando vocês trabalham com amor, se conectam a si mesmos, e uns aos outros, e a Deus.

E o que é trabalhar com amor?

É tecer o tecido com linhas do coração, como se seus amados fossem usá-lo.

É construir uma casa com afeto, como se seus amados fossem morar nela.

É semear com ternura e fazer a colheita com alegria, como se seus amados fossem comer desse fruto.

É dar a tudo que vocês moldam o sopro do seu próprio espírito,

E saber que todos que partiram observam vocês de perto.

Muitas vezes, escutei-os dizendo, como se falassem sonhando: "Aquele que trabalha o mármore, e encontra a forma de sua própria alma na pedra, é mais nobre que aquele que ara a terra.

E aquele que apreende o arco-íris para colocá-lo em um tecido à semelhança do homem, vale mais do que aquele que faz sandálias para nossos pés".

Mas eu lhes digo, não sonhando, mas em plena consciência do dia, que o vento fala com a mesma doçura do carvalho gigantesco e da mais ínfima folha de grama;

E grande é quem transforma a voz do vento em uma canção ainda mais doce pelo seu amor.

O trabalho é o amor tornado visível.

E se vocês não conseguem trabalhar com amor, mas apenas com desgosto, é melhor deixar o trabalho e sentar-se à porta do templo, e pedir esmola a quem trabalha com alegria.

Porque se assarem o pão com indiferença, terão um pão amargo que só satisfaz metade da fome de um homem.

E se esmagam as uvas com má vontade, essa má vontade destilará veneno no vinho.

E ainda que cantem como anjos, se não amam a música, abafam os ouvidos do homem às vozes do dia e da noite.

Sobre a alegria e a tristeza

Então uma mulher disse: fale-nos sobre a alegria e a tristeza.

E ele respondeu:

Sua alegria é sua tristeza sem máscara.

E o mesmo poço de onde ascende seu riso muitas vezes esteve repleto de lágrimas.

E como poderia ser diferente?

Quanto mais fundo a tristeza adentra em seu ser, mais alegria poderá conter.

A taça que contém seu vinho não seria a mesma queimada na olaria?

E o alaúde que acalma sua alma não é da mesma madeira entalhada à faca?

Quando estiverem alegres, observem no fundo do coração e descobrirão que só aquilo que antes lhes deu tristeza hoje pode lhes dar alegria.

Quando estiverem tristes, observem novamente, e verão que, na verdade, hoje choram pelo que lhes trazia alegria.

Alguns de vocês dizem: "A alegria é maior que a tristeza", e outros dizem: "Não, a tristeza é a maior".
Mas eu lhes digo, elas são inseparáveis.
Elas vêm juntas, e enquanto uma se senta a sós com vocês à mesa, lembrem-se de que a outra adormece em sua cama.

Na verdade, vocês vivem suspensos na balança entre a tristeza e a alegria.
Estão imóveis e equilibrados só quando vazios.
Quando o guardião do tesouro os ergue para pesar o ouro e a prata, não se pode evitar que sua alegria, ou sua tristeza, suba ou caia.

Sobre a casa

Então um pedreiro veio e disse:
Fale-nos sobre a casa.
E ele respondeu, dizendo:
Com a imaginação, construam um abrigo no deserto, antes de construírem uma casa dentro dos muros da cidade.
Porque assim como voltam ao lar no final do dia, também retorna o viajante que há em vocês, o andarilho sozinho e distante.
Sua casa é seu corpo ampliado.
Cresce ao sol e dorme na quietude da noite; e não deixa de sonhar. Sua casa não sonha? E sonhando, não deixa a cidade pelo bosque ou pelo topo da colina?

Pudera eu recolher suas casas em minha mão, e como um semeador espalhá-las por florestas e campinas.

Os vales seriam suas ruas, e as trilhas verdejantes suas vielas, e vocês buscariam uns aos outros entre os vinhedos e voltariam com o perfume da terra em suas vestes.

Mas isso ainda não é possível.

Por medo, seus antepassados os fizeram viver próximos demais. E esse medo perdurará por mais tempo. E nesse tempo os muros da cidade separarão os lares e os campos.

E diga-me, povo de Orphalese, o que vocês guardam em casa? E o que guardam a portas fechadas?

Guardam a paz, o impulso silencioso que revela seu poder?

Guardam as lembranças, os arcos cintilantes que abarcam os ápices da mente?

Guardam a beleza, que conduz o coração a coisas feitas de madeira e pedra e também à montanha sagrada?

Digam-me, vocês guardam isso em casa?

Ou guardam apenas o conforto, e a ânsia pelo conforto, esse visitante traiçoeiro que se hospeda na casa, depois se torna hospedeiro e, em seguida, senhor?

Sim, e se torna um domador, e com gancho e açoite faz de fantoches seus maiores desejos.
Embora suas mãos sejam de seda, seu coração é de ferro.
Ele os embala em seu sono apenas para vigiar sua cama e zombar da dignidade humana.
Debocha de sua sensatez e se desfaz dela como vasos frágeis.
Na verdade, o desejo por conforto aniquila a paixão da alma e depois vai sorrindo ao funeral.

Mas vocês, filhos do infinito, inquietos em sua quietude, não devem se deixar domar nem ser domesticados.
Sua casa não deve ser uma âncora, e, sim, um mastro.
Não deve ser uma película reluzente que cobre o ferimento, mas a pálpebra que protege o olho.
Vocês não devem dobrar suas asas, para poder passar pela porta, nem curvar a cabeça, para que não bata no teto, nem temer respirar por medo de que as paredes rachem e caiam.
Vocês não devem morar em sepulturas feitas pelos mortos para os vivos.
E embora magnífica e esplendorosa, sua casa não deve guardar seu segredo nem abrigar seu anseio.

Porque o infinito que há em vocês reside na mansão dos céus, cuja porta é a bruma matinal e cujas janelas são as canções e os silêncios da noite.

Sobre as vestes

E o tecelão disse: fale-nos sobre as vestes.

E ele respondeu:

Suas vestes escondem grande parte de sua beleza, mas falham em ocultar o que não é belo.

E embora busquem nas vestes a liberdade da privacidade, podem encontrar nelas a armadura e a corrente.

Seria bom se vocês pudessem sentir o sol e o vento em uma porção maior de sua pele, e menor de sua vestimenta,

Porque o sopro da vida está na luz do sol, e o toque a mão da vida está no vento.

Alguns de vocês dizem: "O vento norte que teceu as roupas que usamos".

E eu digo sim, foi o vento norte,

Mas seu tear foi a vergonha, e dos tendões enfraquecidos foi feito o fio.

E quando completou seu trabalho, ele riu na floresta.

Não se esqueçam de que o pudor é um escudo contra o olhar do impuro.

E quando não mais houver olhar impuro, o que será o pudor, senão o grilhão e a impureza da mente?

E não se esqueçam de que a terra gosta de sentir seus pés descalços e o vento sonha em brincar com seus cabelos.

Sobre comprar e vender

E um mercador disse: fale-nos sobre comprar e vender.

E ele respondeu, dizendo:

A terra lhes dá seus frutos e, se souberem encher as mãos, nada lhes faltará.

É na troca das dádivas da terra que encontrarão abundância e satisfação.

Porém, sem amor, justiça e generosidade, a troca levará alguns à ganância e outros à fome.

Quando no mercado, vocês, trabalhadores dos mares, dos campos e dos vinhedos, encontrarem os tecelões, os oleiros e os coletores de especiarias,

Invoquem, então, o espírito que governa a terra, para que venha até vocês e santifique as balanças e os cálculos que contrapõe seus valores.

E não tolerem que os de mãos vazias tomem parte em suas transações, pois venderiam suas palavras em troca de seu trabalho.

Para tais homens, devem dizer:
"Venham conosco ao campo, ou com nossos irmãos ao mar, e joguem sua rede;
Porque a terra e o mar lhes serão generosos tanto quanto foram conosco."

E se vierem os cantores, os dançarinos e os flautistas, comprem também seus dons.

Porque eles também colhem frutos e incensos, e o que trazem, embora moldado em sonhos, protege e alimenta a alma.

E antes de deixarem o mercado, assegurem-se de que ninguém saiu de mãos vazias.

Porque o espírito que governa a terra não dormirá em paz até ver satisfeita a necessidade do mais modesto de vocês.

Sobre o crime e o castigo

Então, um dos juízes da cidade aproximou-se e disse: fale-nos sobre o crime e o castigo.

E ele respondeu, dizendo:

É quando seu espírito sai vagando ao vento,

Que vocês, a sós e desprevenidos, cometem um mal contra os outros e, sendo assim, contra si mesmos.

E pelo mal causado precisam esperar despercebidos por um tempo no portão dos abençoados.

Seu eu-deus é como o oceano;

Permanece para sempre imaculado.

E, como o éter, ergue apenas o alado.

Seu eu-deus é também como o sol;

Não conhece os caminhos da toupeira nem procura a toca da serpente.

Seu eu-deus, no entanto, não vive sozinho em seu íntimo.

Muito em vocês continua homem, e muito em vocês ainda não chega a ser homem,

E sim uma criatura disforme que caminha adormecida pela bruma, procurando seu próprio despertar.

E agora falarei do homem que há em vocês.

Porque é ele, e não o eu-deus nem a criatura na bruma, que conhece o crime e sua punição.

Muitas vezes os escutei falar de alguém que cometeu um crime como se não fosse um de vocês, mas um estranho entre vocês e um intruso em seu mundo.

Mas eu lhes digo que assim como os santos e os justos não podem alcançar além do mais elevado que há em vocês,

Os maus e os fracos não podem descer além do que há de mais baixo.

E assim como nem mesmo uma simples folha cai sem o consentimento silencioso da árvore,

O malfeitor não pode fazer o mal sem a vontade oculta de todos vocês.

Como numa procissão, vocês caminham juntos em direção ao eu-deus.

São tanto o caminho quanto os caminhantes.

E quando um de vocês cai, cai em nome dos que vêm atrás, podendo alertar sobre a pedra que o fez tropeçar.

Sim, e ele cai em nome dos que vão à frente, e, embora seus passos sejam mais velozes e mais firmes, não removeram a pedra que o fez tropeçar.

E ainda, embora a palavra pese em seu coração:

Quem é assassinado não é isento de seu próprio assassinato,

E o roubado não deixa de ter culpa no próprio roubo.

O justo não é inocente dos atos do malvado,

E o virtuoso não está absolvido dos feitos do criminoso.

Sim, o culpado é muitas vezes vítima do prejudicado,

E, ainda com mais frequência, o condenado é quem carrega o fardo do inocente e do sem culpa.

Não se pode separar os justos dos injustos, e os bons dos maus.

Porque eles se colocam juntos perante a face do sol, assim como o fio preto e o branco são tecidos juntos.

E quando o fio negro se rompe, o tecelão precisa examinar todo o tecido e também o tear.

Se algum de vocês levar a julgamento uma esposa infiel,

Que também coloque na balança o coração de seu marido e meça sua alma com determinação.

E que aquele que for açoitar o agressor, olhe na alma do agredido.

E se algum de vocês for punir em nome da justiça e cortar com o machado a árvore do mal, que antes olhe suas raízes;

E certamente encontrará as raízes do bem e do mal, do frutífero e do estéril, todas entrelaçadas no cerne silencioso da terra.

E vocês, juízes que pretendem ser justos,

Que julgamento dar a quem, embora honesto na carne, seja ladrão no espírito?

Que julgamento aplicar a quem aniquila a carne, quando ele próprio está aniquilado em espírito?

E como condenar aquele que age como farsante e opressor,

Mas é igualmente prejudicado e ultrajado?

E como punir aqueles cujo remorso já é superior a seus crimes?

O remorso não seria a justiça administrada por aquela mesma lei que vocês de bom grado cumprem?

No entanto, vocês não podem impingir remorso ao inocente nem aliviar o coração do culpado.

Acorda os homens à noite para, espontaneamente, ver a si mesmos tal como são.

E vocês, que pretendem compreender a justiça, como poderiam, sem analisar todos os atos à plena luz?

Somente então vocês saberão que o superior e o inferior são o mesmo homem no crepúsculo, entre a noite de seu eu-criatura e o dia de seu eu-deus,

E que a pedra fundamental do templo não é mais alta que a pedra mais baixa de sua fundação.

Sobre as leis

Então um advogado disse: e as nossas leis, mestre?
E ele respondeu:
Vocês se comprazem em estabelecer leis,
Mas se comprazem mais em infringi-las.
Como crianças brincando na praia, que constroem castelos de areia com esmero e depois as destroem com risadas.
Mas enquanto constroem seus castelos de areia, o mar traz mais areia para a praia.
E quando os destroem, o mar ri com vocês.
Na verdade, o mar sempre ri com o inocente.

Mas e quanto àqueles cuja vida não é o mar e as leis do homem não são castelos de areia,
Para quem a vida é uma rocha, e a lei um cinzel usado para esculpi-la à sua própria semelhança?

E o que dizer do aleijado que detesta os dançarinos?

E do boi que ama sua canga, mas julga o alce e o veado seres inferiores e errantes da floresta?

E da velha serpente que não pode mais trocar de pele e diz que todas as outras estão nuas e despudoradas?

E daquele que chega cedo ao banquete e depois de comer em excesso e estar cansado sai dizendo que todos os banquetes são uma violação e os convidados, infratores?

O que devo dizer sobre eles, a não ser que eles também ficam ao sol, mas com as costas voltadas para a luz?

Veem apenas a própria sombra, e a sombra é sua lei.

E o que é o sol para eles senão um projetor de sombras?

E o que significa respeitar as leis, senão inclinar-se e traçar suas sombras sobre a terra?

Mas vocês, que caminham encarando o sol, que imagens desenhadas na terra poderão detê-los?

Vocês, que viajam com o vento, que cata-vento poderá indicar seu curso?

Que lei dos homens os restringirá se quebrarem seu jugo, mas não diante da porta da prisão humana?

Que lei deverão temer se dançarem, mas sem tropeçar nas correntes de ferro feitas pelo homem?

E quem os levará a julgamento, se arrancarem suas vestes, mas não as deixarem no caminho do homem?

Povo de Orphalese, vocês podem abafar o tambor e afrouxar as cordas da lira, mas quem poderá conter o canto da cotovia?

Sobre a liberdade

E um orador disse: fale-nos sobre a liberdade.
E ele respondeu:
Na entrada da cidade, e ao pé da lareira, eu os vi prostrados em adoração à própria liberdade,
Tal qual escravos que se humilham perante um tirano e o louvam embora ele os mate.
Sim, no bosque do templo e à sombra da cidadela, vi o mais livre entre vocês usar sua liberdade como a canga e as algemas.
E meu coração sangrou lá dentro, porque vocês só podem ser livres quando até o desejo de buscar a liberdade se tornar uma couraça e quando deixarem de falar da liberdade como objetivo e realização.

Serão de fato livres não quando seus dias transcorrerem sem preocupação e suas noites sem desejo e dor,

Mas quando essas coisas cercarem sua vida e vocês as suplantarem, nus e sem amarras.

E como poderão ir além de dias e noites, senão quebrando as correntes que, no amanhecer do seu entendimento, prenderam a si mesmos em redor de seu meio-dia?
Na verdade, aquilo que chamam de liberdade é a mais forte dessas correntes, embora seus elos reluzam ao sol e lhes ofusquem os olhos.

E o que é isso, senão fragmentos de si mesmos que descartariam para tornarem-se livres?
Se buscam abolir uma lei injusta, essa lei foi escrita por sua própria mão em sua própria testa.
Não podem apagá-la queimando códigos nem lavando a face dos juízes, ainda que despejem o mar sobre eles.
E se é um déspota que querem destronar, antes disto providenciem para que seja destruído o trono erigido em seu interior.
Como poderia um tirano reger os livres e orgulhosos senão pela tirania em sua liberdade e vergonha em seu próprio orgulho?
E se é uma preocupação da qual gostariam de se livrar, muito mais que imposta, essa preocupação foi escolhida por vocês.

E se é um medo que gostariam de afastar, a base desse medo está em seu coração, não nas mãos daquilo que temem.

Na verdade, todas as coisas estão sempre entrelaçadas em seu interior, o desejável e o temível, o repugnante e o adorado, aquilo que buscam e aquilo do qual procuram fugir.

Essas coisas movem-se em seu interior como luz e sombra, em pares inseparáveis.

E quando a sombra esmorece e já não mais existe, a luz que perdura torna-se a sombra de outra luz.

E assim, quando sua liberdade perde seus grilhões, ela se torna o grilhão de uma liberdade maior.

Sobre a razão e a paixão

E a sacerdotisa tornou a falar, dizendo: fale-nos sobre a razão e a paixão.

E ele respondeu:

Suas almas são, muitas vezes, um campo de batalha, onde a razão e o juízo empreendem uma guerra contra a paixão e o desejo.

Quem me dera ser o pacificador de sua alma, poder transformar a discórdia e a rivalidade de seus princípios em unidade e melodia.

Mas como poderia, a não ser que vocês mesmos fossem os pacificadores, ou ainda, os amantes de todos os seus princípios?

Sua razão e sua paixão são o leme e as velas de sua alma navegante.

Se as velas ou o leme se quebrarem, lhes restará apenas ficar à deriva ou parados em pleno mar.

Porque a razão, quando governa sozinha, torna-se uma força limitante; e a paixão, à solta, é uma chama que queima até a própria destruição.

Sendo assim, deixem que sua alma exalte sua razão à altura da paixão, para que possa cantar;

E deixem que a razão direcione a paixão, para que esta viva sua ressurreição diária e, como a fênix, renasça das próprias cinzas.

Suplico que tratem seu juízo e seu desejo da mesma maneira que fariam com dois hóspedes amados em sua casa.

Certamente não tratariam só um dos hóspedes com atenção, porque aquele que se importa apenas com um, perde o amor e a fé de ambos.

Nas colinas, quando se sentam à sombra fresca dos álamos brancos, compartilhando a paz e a serenidade dos campos e das campinas distantes, deixem seus corações dizer em silêncio: "Deus repousa na razão".

E quando vier a tempestade, e o vento poderoso sacudir a floresta, e os relâmpagos e o trovões proclamarem a majestade do céu, deixem então que o coração diga extasiado: "Deus se move com a paixão".

E, uma vez que são um sopro na esfera divina e uma folha na floresta de Deus, vocês também devem repousar na razão e se mover com a paixão.

Sobre a dor

E uma mulher falou, dizendo: fale-nos sobre a dor.

E ele disse:

Sua dor é a quebra da concha que aprisiona seu conhecimento.

Assim como a semente da fruta precisa se quebrar para que seu cerne se revele ao sol, vocês precisam conhecer sua dor.

E se pudessem manter o coração deslumbrado perante os milagres diários da vida, sua dor não seria menos surpreendente que sua alegria;

E aceitariam as estações do coração, da mesma maneira que sempre aceitaram as estações que passam pelos campos.

E contemplariam com serenidade os invernos da sua dor.

Grande parte da dor é por escolha própria.

É a poção amarga pela qual o médico, dentro de vocês, cura seu eu doente.

Confiem, portanto, no médico, e tomem seu remédio em silêncio e com tranquilidade.

Porque sua mão, embora pesada e dura, é guiada pela mão suave do Invisível,

E a taça que ele traz, embora queime seus lábios, foi feita com a argila que o Oleiro umedeceu com Suas próprias lágrimas sagradas.

Sobre o autoconhecimento

E um homem disse: fale-nos sobre o autoconhecimento.

E ele respondeu, dizendo:

Seus corações conhecem em silêncio os segredos dos dias e das noites.

Mas seus ouvidos anseiam pelo som daquilo que seu coração sabe.

Vocês saberiam em palavras o que sempre souberam em pensamento.

Tocariam com os dedos o corpo nu de seus sonhos.

E é bom que isso aconteça.

O manancial oculto de sua alma deve necessariamente aflorar e correr murmurante para o mar;

E o tesouro de sua infinita profundeza se revelaria a seus olhos.

Mas não usem balança para pesar seus tesouros desconhecidos;

E não busquem as profundezas do seu conhecimento com um bastão ou uma sonda;

Porque o eu é um mar ilimitado e imensurável.

Não digam: "Encontrei a verdade", e sim: "Encontrei uma das verdades".

Não digam: "Encontrei o caminho da alma". E sim: "Encontrei a alma andando pelo meu caminho".

Porque a alma anda em todos os caminhos.

A alma não anda em linha reta nem cresce como o junco.

A alma desabrocha como uma flor de lótus com inúmeras pétalas.

Sobre ensinar

Então um professor disse: fale-nos sobre ensinar.
E ele disse:
Nenhum homem pode lhes revelar algo que já não esteja semiacordado no amanhecer de seu conhecimento.

O mestre que caminha à sombra do templo entre seus discípulos não concede sua sabedoria, mas sim sua fé e sua amorosidade.

Se for realmente sábio, ele não os convida a entrar na casa de sua sabedoria, e sim à soleira de sua própria mente.

O astrônomo pode lhes falar sobre sua compreensão do espaço, mas não pode lhes conceder sua compreensão.

O músico pode cantar no ritmo que há em todo espaço, mas não pode lhes dar o ouvido que capta a melodia nem a voz que dela ecoa.

E aquele que é versado na ciência dos números pode lhes falar dos reinos dos pesos e das medidas, mas não pode levá-los até lá.

Porque a visão de um homem não empresta suas asas a outro.

E assim como cada um de vocês é único no conhecimento de Deus, cada um de vocês deve ter seu conhecimento particular de Deus e sua compreensão da terra.

Sobre a amizade

E um jovem disse: fale-nos sobre a amizade.
E ele respondeu:
Seu amigo é a resposta a suas necessidades.
É o campo que você semeia com amor e do qual colhe com gratidão.
É sua mesa e sua lareira.
Porque chegam até ele com fome e buscam nele a paz.

Quando seu amigo disser o que pensa, não tema o "não" que está em sua própria mente nem recuse o "sim".
E quando ele estiver em silêncio, não deixe seu coração parar de ouvir o coração dele;
Porque na amizade todos os pensamentos, os desejos e as expectativas nascem e são compartilhados sem palavras, numa alegria discreta.

Ao se separar de seu amigo, não se magoe;
Pois aquilo que mais ama nele ficará mais evidente em sua ausência, assim como para o alpinista a montanha é mais nítida da planície.
E que não haja outro propósito na amizade senão o aprofundamento da alma.
Porque o amor que busca algo além da revelação do próprio mistério não é amor, mas uma rede já lançada, que só apanha o que é inútil.

E que o seu melhor seja destinado ao seu amigo.
Que conheça sua maré baixa, mas também a cheia.
Como seria se você o procurasse apenas para matar o tempo?
Sempre o procure para viver o tempo.
Porque cabe a ele atender as suas necessidades, mas não o seu vazio.
E que, na doçura da amizade, haja risos e prazeres compartilhados.
Porque no orvalho das pequenas coisas o coração encontra sua manhã e se renova.

Sobre o ato de falar

E então um erudito disse: fale-nos sobre o ato de falar.

E ele respondeu:

Vocês falam quando deixam de se sentir em paz com seus pensamentos;

E quando já não podem permanecer na solidão de seu coração, vocês vivem nos lábios, e o som é uma distração e um passatempo.

E em grande parte do que falam, matam o pensamento.

Porque o pensamento é um pássaro do infinito que, na gaiola das palavras, pode abrir as asas, mas não voar.

Entre vocês há os que buscam os eloquentes por medo da solidão.

O silêncio da solidão revela sua identidade nua, e eles fogem para não a ver.

E há aqueles que falam, e sem conhecimento ou antecipação revelam uma verdade que nem eles mesmos entendem.

E há aqueles que possuem a verdade em seu íntimo, mas não a dizem em palavras.

No peito desses o espírito habita num silêncio rítmico.

Quando encontrarem seu amigo à beira da estrada ou no mercado, deixem que o espírito que há em vocês mova seus lábios e dirija sua língua.

Deixem que a voz dentro de sua voz fale ao ouvido de seu ouvido;

Porque sua alma abrigará a verdade de seu coração, assim como o sabor do vinho é lembrado.

Quando a cor é esquecida e a taça já não existe.

Sobre o tempo

E um astrônomo disse: mestre, e quanto ao tempo?

E ele respondeu:

Se pudessem medir o tempo, vocês mediriam o incontável e o imensurável.

Ajustariam sua conduta e até dirigiriam o curso de seu espírito de acordo com as horas e as estações.

Fariam do tempo um regato em cuja margem se sentariam para contemplar o seu fluir.

No entanto, o atemporal em vocês sabe da atemporalidade da vida.

E sabe que ontem não é senão a memória de hoje, e o amanhã é o sonho do hoje.

E que aquilo que canta e contempla em vocês ainda mora nos limites daquele primeiro momento que espalhou as estrelas pelo espaço.

Quem entre vocês não sente que seu poder para amar é infinito?

E, no entanto, quem não sente esse mesmo amor, embora infinito, contido no cerne de seu ser, e se movendo não de um pensamento amoroso a outro nem de um ato amoroso a outro?

E o tempo não é, assim como o amor, indivisível e descompassado?

Mas, se em seu pensamento, necessitam medir o tempo por meio de estações, deixem que cada estação envolva todas as outras.

E deixem que o presente enlace o passado com lembranças e o futuro com anseio.

Sobre o bem e o mal

E um dos anciãos da cidade disse: fale-nos sobre o bem e o mal.

E ele respondeu:

Posso falar do bem que há em vocês, mas não do mal.

Porque o que é o mal, senão o bem torturado por sua fome e sua sede?

Na verdade, quando o bem está faminto, ele busca alimento até nas cavernas escuras, e quando está sedento, bebe até das águas paradas.

Vocês são bons quando estão em harmonia consigo mesmos.

Mas, quando não estão em harmonia consigo mesmos, não são maus.

Porque uma casa dividida não é um covil de ladrões, é apenas uma casa dividida.

E um navio sem leme pode vagar sem rumo entre ilhas perigosas, sem naufragar.

Vocês são bons quando se esforçam para se doar.
Mas não são maus quando buscam o ganho próprio.
Porque, quando se esforçam para ganhar, não são senão uma raiz que se agarra à terra e mama em seu seio.
Com certeza, o fruto não pode dizer à raiz: "Seja como eu, maduro e pleno, dando sempre da sua abundância".
Porque para o fruto doar é uma necessidade, assim como para a raiz receber é necessário.

Vocês são bons quando estão totalmente conscientes em seu discurso;
Mas não são maus quando dormem, enquanto sua língua titubeia sem propósito.
E até mesmo uma fala trôpega pode fortalecer uma língua frágil.

Vocês são bons quando caminham com firmeza para seu objetivo, com passos decididos.
Mas não são maus quando vão para lá mancando.
Mesmo os que mancam não andam para trás.

Mas vocês, que são fortes e ligeiros, tratem de não mancar perante o manco, julgando ser isso generosidade.

Vocês são bons de inúmeras maneiras e não são maus quando não são bons,
São apenas indolentes e preguiçosos.
É uma pena que os cervos não possam ensinar rapidez para as tartarugas.

No anseio por seu eu-gigante está o que é bom em vocês: e esse anseio existe em toda parte.
Mas em alguns esse anseio é uma torrente correndo vigorosa para o mar, levando os segredos das encostas e as canções da floresta.
E em outros é um regato raso que se perde em ângulos e curvas, demorando-se antes de chegar à costa.
Mas aquele que anseia muito não deve dizer àquele que anseia pouco: "Por que você é tão lento e indeciso?".
Porque quem é verdadeiramente bom não pergunta ao desnudo: "Onde estão suas vestes?" nem ao desabrigado: "O que aconteceu com sua casa?".

Sobre a prece

Então uma sacerdotisa disse: fale-nos sobre a prece.

E ele respondeu:

Vocês rezam quando estão aflitos e em necessidade; bom seria se também rezassem na plenitude de sua alegria e em seus dias de abundância.

Porque o que é a prece senão a expansão de si mesmos no éter vivo?

E se for para seu conforto despejar suas trevas no espaço, também é para sua alegria despejar a aurora de seu coração.

E se vocês não conseguem senão chorar quando sua alma os convoca para a prece, ela deveria estimulá-los repetidas vezes, mesmo chorando, até que vocês acabem sorrindo.

Quando rezam, vocês se elevam para encontrar no espaço aqueles que estão rezando naquela mesma hora, e aqueles que talvez vocês não encontrem a não ser na oração.

Sendo assim, que sua visita àquele templo invisível não seja senão para o êxtase e uma doce comunhão.

Porque se vocês adentrarem o templo com o único propósito de pedir, nada receberão;

E se entrarem nele para se curvar, não se elevarão:

E mesmo se entrarem para pedir pelo bem de outros, não serão ouvidos.

Basta entrarem invisíveis no templo.

Não posso ensiná-los a orar com palavras.

Deus não ouve as suas palavras, a não ser quando Ele próprio as murmura através de seus lábios.

E não posso ensiná-los a oração dos mares, das florestas e das montanhas.

Mas vocês, nascidos das montanhas, das florestas e dos mares, podem encontrar essa oração em seu coração.

E se vocês escutarem na quietude da noite, ouvirão que dizem em silêncio:

"Nosso Deus, que é nosso eu-alado, é tua vontade que nos governa.

É teu desejo que em nós deseja.

É teu estímulo que em nós tornará nossas noites, que são tuas, em dias, que também são teus.

Não lhe podemos pedir nada, porque conheces nossas necessidades antes que elas surjam em nós:

O Senhor é nossa necessidade; e dando-nos mais de si mesmo, dá-nos tudo."

Sobre o prazer

Então um eremita, que visitava a cidade uma vez por ano, aproximou-se e disse: fale-nos sobre o prazer.

E ele respondeu:
O prazer é uma canção de liberdade,
Mas não é a liberdade.
É o florescer dos seus desejos,
Mas não é seu fruto.
É a profundeza invocando a altura,
Mas não é o profundo nem o alto.
É o engaiolado alçando voo,
Mas não é o espaço ao redor.
Sim, é a plena verdade, o prazer é uma canção de liberdade.

E de bom grado eu deixaria que cantassem com a plenitude do coração; mas sem perder o coração ao cantar.

Alguns jovens buscam o prazer como se ele fosse tudo e por isso são julgados e censurados.
Eu não os julgaria, nem os censuraria. Eu deixaria que continuassem na busca.
Porque eles encontrarão prazer, mas não só ele; Sete são suas irmãs, e a menor delas é a mais bela.
Vocês já ouviram falar do homem que cavava a terra à procura de raízes e encontrou um tesouro?

E alguns dos mais velhos recordam seus prazeres com remorso, como erros cometidos na embriaguez.
Mas o remorso é o obscurecimento da mente, e não sua punição.
Eles deveriam recordar seus prazeres com gratidão, como fariam com uma colheita de verão.
No entanto, se sentem conforto no remorso, que sejam confortados.

E há entre vocês aqueles que não são jovens para buscar nem velhos para recordar;
E em seu medo de buscar e recordar, afastam todos os prazeres para não descuidar do espírito ou desagradá-lo.
Mas mesmo na renúncia está o seu prazer.
E desse modo eles também encontram um tesouro, embora cavem à procura de raízes com mãos trêmulas.

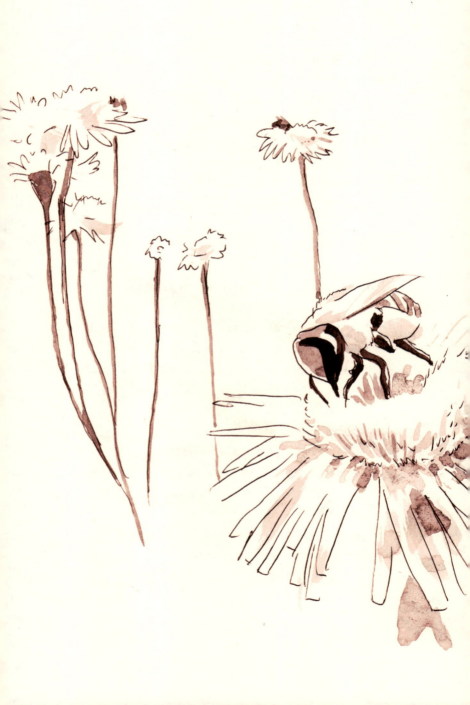

Mas digam-me, quem poderia desagradar o espírito?

Poderia o rouxinol desagradar a quietude da noite ou o vaga-lume, as estrelas?

E poderia sua chama ou sua fumaça sobrecarregar o vento?

Acham que o espírito é um lago parado que podem perturbar com um bastão?

Muitas vezes, ao se negar prazeres, não fazem senão abrigar desejos nas profundezas de seu ser.

Quem sabe se o que hoje parece omitido não espera o dia de amanhã?

Até mesmo seu corpo conhece sua herança e sua necessidade legítima e não aceita ser enganado.

E seu corpo é a harpa de sua alma,

E cabe a vocês produzir uma música doce a partir dele ou ruídos confusos.

E agora perguntem em seus corações: "Como distinguir o que é bom no prazer do que é mau?".

Vão até seus campos e seus jardins e aprenderão que o prazer da abelha é recolher o mel da flor,

Mas também é o prazer da flor fornecer seu mel à abelha.

Porque, para a abelha, a flor é uma fonte de vida,

E para a flor, a abelha é um mensageiro do amor.

E para ambos, abelha e flor, o dar e receber prazer é uma necessidade e um êxtase.

Povo de Orphalese, sejam em seus prazeres como as flores e as abelhas.

Sobre a beleza

E um poeta disse: fale-nos sobre a beleza.

E ele respondeu:

Onde deverão procurar beleza e como a encontrarão, a não ser que ela própria seja seu caminho e seu guia?

E como deverão falar dela, a menos que ela seja a tecelã do seu discurso?

Os ofendidos e prejudicados dizem: "A beleza é boa e gentil.

Como uma jovem mãe meio envergonhada de sua própria glória, ela caminha entre nós".

E os apaixonados dizem: "Não, a beleza é feita de poder e temor.

Como a tempestade, ela sacode a terra sob nossos pés e o céu sobre nós".

Os cansados e os esgotados dizem: "A beleza sussurra suave. Ela fala em nosso espírito.
Sua voz submete-se a nosso silêncio como uma luz tênue que treme por medo da sombra".

Mas os inquietos dizem: "Nós a ouvimos gritar em meio às montanhas,
E com seus gritos vieram o som de cascos, o bater de asas e o rugir de leões".

À noite, as sentinelas da cidade dizem: "A beleza surgirá com o amanhecer do leste".
E ao meio-dia os trabalhadores e os peregrinos dizem: "Nós a vimos olhar para a terra inclinada sobre as janelas do crepúsculo".

No inverno, os isolados pela neve dizem: "Ela deverá vir com a primavera, saltando pelas colinas".
E no calor do verão os lavradores dizem: "Nós a vimos dançando com as folhas do outono e vimos flocos de neve em seus cabelos".

Vocês disseram tudo isso sobre a beleza.
Mas, na verdade, vocês não falaram dela, mas de necessidades insatisfeitas.
E a beleza não é uma necessidade, mas um êxtase.
Não é a boca sedenta nem a mão vazia estendida,
Mas o coração inflamado e a alma encantada.

Não é a imagem que buscam ver nem a música que buscam ouvir,

Mas sim a imagem que veem, embora fechem os olhos, e a canção que escutam, embora tampem os ouvidos.

Não é a seiva dentro da cortiça sulcada nem a asa ligada à garra,

Mas um jardim eternamente florido e os anjos eternamente em voo.

Povo de Orphalese, a beleza é a vida quando a vida desvenda seu rosto sagrado.

Mas vocês são a vida e o véu.

A beleza é a eternidade olhando-se no espelho.

Mas vocês são a eternidade e o espelho.

Sobre a religião

E um velho sacerdote disse: fale-nos sobre a religião.

E ele disse:

Falei de alguma outra coisa hoje?

Não é a religião toda ação e toda reflexão,

E aquilo que não é ação nem reflexão, mas o encantamento e a surpresa que sempre saltam na alma, mesmo enquanto as mãos talham a pedra ou tecem no tear?

Quem é capaz de separar sua fé de suas ações ou sua crença de suas ocupações?

Quem pode estender as horas à frente, dizendo: "Estas são para Deus e estas são para mim mesmo, estas para minha alma, e estas outras para meu corpo?".

Todas as suas horas são asas que voam pela vastidão de uma pessoa a outra.

Aquele que exibe a moral como sua melhor veste ficaria melhor nu.

O vento e o sol não provocarão feridas em sua pele.

E aquele que define sua conduta pela ética aprisiona seu pássaro canoro em uma gaiola.

A canção mais livre de todas não ressoa por entre barras e grades.

E aquele para quem a adoração é uma janela a ser aberta, mas também fechada, ainda não visitou a casa da sua alma, cujas janelas estão abertas de alvorada a alvorada.

Sua vida cotidiana é seu templo e sua religião.

Sempre que o adentrarem, levem consigo seu ser por inteiro.

Levem o arado, a forja, a marreta e o alaúde,

As coisas que vocês moldaram por necessidade ou por prazer.

Porque em devaneio não podem suplantar suas conquistas nem ser vencidos por seus fracassos.

E levem consigo todos os homens:

Porque em adoração não podem voar mais alto que suas esperanças nem se humilhar junto a seu desespero.

E, se quiserem conhecer Deus, não se distraiam decifrando enigmas.

É melhor olharem a sua volta, e verão Deus brincando com seus filhos.

E olhem para o infinito e verão Deus caminhando nas nuvens, estendendo os braços no relâmpago e descendo na chuva.

Deus está sorrindo nas flores e acenando entre as árvores.

Sobre a morte

Então Almitra falou: agora gostaríamos de perguntar sobre a morte.

E ele disse:

Vocês querem conhecer o segredo da morte.

Mas como descobri-lo a não ser que o busquem no cerne da vida?

A coruja, cujos olhos noturnos são cegos perante o dia, não pode desvendar o mistério da luz.

Se querem de fato contemplar o espírito da morte, abram o coração para o corpo da vida.

Porque a vida e a morte são uma só, assim como o rio e o mar são um.

Na profundeza da esperança e dos desejos está o conhecimento silencioso do que existe além;

E como sementes sonhando sob a neve, seu coração sonha com a primavera.

Confiem nos sonhos, pois neles acha-se escondido o portal para a eternidade.

Seu medo da morte não é senão o tremor do pastor postado perante o rei, cuja mão será colocada sobre ele como distinção.

Sob seu tremor, o pastor não está feliz por ostentar a marca do rei?

No entanto, não está ele mais atento ao tremor?

E o que é morrer senão ficar nu ao vento e se dissolver ao sol?

E o que é deixar de respirar, senão libertar o sopro de suas marés inquietas, para que ele possa ascender, se expandir e buscar Deus livremente?

Somente quando beberem do rio do silêncio é que poderão de fato cantar.

E quando alcançarem o topo da montanha, então é que começarão a subir.

E quando a terra suplicar seu corpo, é que realmente dançarão.

A partida do navio

E então se fez noite.

E Almitra, a profetisa, disse: abençoado seja este dia e este lugar e seu espírito, que nos falou.

E ele respondeu: fui eu quem falei? Não seria eu também um ouvinte?

Então, ele desceu os degraus do templo, e todos o seguiram.

E ele chegou a seu navio e ficou no convés.

E, dirigindo-se novamente ao povo, levantou a voz e disse:

Povo de Orphalese, o vento propõe que eu os deixe.

Sou menos ligeiro que o vento, e preciso partir.

Nós, os errantes, sempre buscamos o caminho mais solitário, não há dia que comecemos onde terminamos o outro; e nenhum nascer do sol nos encontra onde o crepúsculo nos deixou.

Seguimos viagem mesmo enquanto a terra dorme.

Somos as sementes de uma planta eterna e, quando nosso coração se torna pleno e maduro, nos entregamos ao vento e somos espalhados por ele.

Breves foram meus dias entre vocês e mais breve ainda as palavras que proferi.

Mas, caso minha voz desvaneça em seus ouvidos e meu amor suma de sua memória, então eu voltarei,

E falarei com um coração mais enriquecido e lábios mais dóceis ao espírito.

Sim, voltarei com a maré,

E embora a morte possa me esconder, e o silêncio maior me envolver, ainda assim buscarei seu entendimento.

E não buscarei em vão.

Se algo do que eu disse for verdade, essa verdade se revelará numa voz mais clara e em palavras mais próximas de seus pensamentos.

Vou com o vento, povo de Orphalese, mas não rumo ao vazio.

E se este dia não for a concretização de seus anseios e de meu amor, então que seja a promessa até outro dia.

Os anseios do homem mudam, mas não seu amor nem seu desejo de que o amor satisfaça suas necessidades.

Saibam, portanto, que voltarei do silêncio maior.

A névoa que se afasta ao alvorecer, deixando apenas o orvalho nos campos, se alçará e se juntará à nuvem e então cairá como chuva.

E eu não tenho sido diferente da névoa.

Na quietude da noite, caminhei por suas ruas e meu espírito adentrou suas casas,

E sua pulsação esteve em meu coração, seu hálito em meu rosto, e conheci todos vocês.

Sim, conheci sua alegria e sua dor, e em seu sono seus sonhos foram meus sonhos.

E muitas vezes estive entre vocês como um lago entre as montanhas.

Refleti os cumes em vocês, e as encostas inclinadas, e até as passageiras revoadas de seus pensamentos e desejos.

E a risada de seus filhos veio até meu silêncio em riachos, e os anseios de seus jovens em rios.

E quando atingiam minhas profundezas, os riachos e os rios ainda assim não cessaram de cantar.

Mas a mim veio algo ainda mais doce do que risada e mais grandioso do que anseio.

Foi o infinito que há em vocês;

O vasto homem no qual são tudo, as células e os nervos;

Ele, em cujo cântico toda sua melodia não passa de um ruído inaudível.

É no vasto homem que vocês são vastos,

E ao contemplá-lo eu os contemplei e os amei.

Que distâncias o amor pode alcançar que não estejam naquela vasta esfera?

Que visões, que expectativas e que presunções podem suplantar aquele voo?

O vasto homem em vocês é como um carvalho imenso coberto por flores de macieira.

Seu poder os liga à terra, seu perfume os ergue no espaço, e em sua resistência são imortais.

Disseram-lhes que, assim como uma corrente, vocês são tão fracos quanto seu elo mais fraco.

Esta é apenas parte da verdade. Vocês também são tão fortes quanto seu elo mais forte.

Medi-los pelo seu menor feito é avaliar o poder do oceano pela fragilidade de sua espuma.

Julgá-los pelas suas falhas é culpar as estações por sua inconstância.

Sim, vocês são como um oceano,

E embora as embarcações encalhadas esperem a maré em suas orlas, assim como um oceano vocês não podem apressar suas marés.

E também são como as estações,

E embora em seu inverno neguem sua primavera,

A primavera, que repousa dentro de vocês, sorri em sua sonolência e não se sente ofendida.

Não pensem que digo essas coisas para que possam dizer entre si: "Ele nos elogiou bastante. Só viu o que temos de bom".

Só falo com palavras aquilo que vocês mesmos sabem em pensamento.

E o que é o conhecimento expresso em palavras senão uma sombra do conhecimento sem palavras?

Seus pensamentos e minhas palavras são ondas de uma memória selada que guarda os registros do nosso passado,

E dos dias distantes, quando a terra não nos conhecia nem conhecia a si mesma,

E das noites quando a terra estava agitada em confusão.

Sábios vieram até vocês para lhes transmitir sua sabedoria. Eu vim para aprender com vocês:

E eis que descobri algo mais importante que a sabedoria.

É seu espírito em chama e que sempre aumenta em si mesmo,
Enquanto vocês, alheios a sua expansão, lamentam o definhar dos seus dias.
É a vida em busca da vida em corpos que temem a sepultura.

Não há sepulturas aqui.
Estas montanhas e planícies são um berço e um ponto de partida.
Sempre que passarem pelos campos onde enterraram seus antepassados, olhem bem e verão a si mesmos e seus filhos dançando de mãos dadas.
Na verdade, muitas vezes vocês se alegram sem saber.

Outros vieram até vocês a quem, em troca de belas promessas feitas a sua fé, vocês deram riquezas, poder e glória.
Eu dei menos do que uma promessa, e, no entanto, vocês foram mais generosos comigo.
Deram-me uma sede de vida mais profunda.
Com certeza, não há dádiva maior para um homem do que aquela que transforma seus intuitos em lábios sedentos e a vida toda em uma fonte.
E nisso está minha honra e minha recompensa,

Que sempre que venho à fonte beber, encontro a própria água viva com sede;
E ela me bebe enquanto a bebo.

Alguns de vocês julgaram-me orgulhoso e reservado ao receber presentes.
Sou orgulhoso demais, de fato, para receber salários, mas não presentes.

E, embora eu tenha comido frutas silvestres nas colinas quando me queriam sentado a sua mesa,

E dormido no pórtico do templo quando teriam me abrigado de boa vontade,

Não teria sido sua atenção amorosa que deram a meus dias e minhas noites o que adoçou o alimento em minha boca e cercou meu sono de visões?

Por isso é que mais os abençoo:
Vocês dão muito, e não têm a mínima consciência de que dão.

Na verdade, a generosidade que se mira em um espelho transforma-se em pedra,

E uma boa ação que se vangloria torna-se pai de uma maldição.

E alguns de vocês disseram que sou arredio, e embriagado da minha própria solidão,

E disseram: "Ele se reúne com as árvores da floresta, mas não com homens.

Ele se senta sozinho no topo das colinas e observa lá de cima nossa cidade".

É verdade que subi as colinas e caminhei por lugares remotos.

Como poderia vê-los, a não ser de uma grande altura ou de uma grande distância?

Como alguém pode realmente estar perto, a não ser que esteja distante?

E outros entre vocês me chamaram, mas não em palavras e disseram:

"Estrangeiro, estrangeiro, amante de alturas inatingíveis, por que mora entre os cumes onde as águias fazem ninho?

Por que procura o inatingível?

Que tempestades quer prender em sua rede,

E que pássaros vaporosos caça no céu?

Venha e seja um de nós.

Desça e satisfaça sua fome com nosso pão, e mate sua sede com nosso vinho".

Na solidão da alma, eles disseram essas coisas,

Mas fosse sua solidão mais profunda, saberiam que eu buscava apenas o segredo de sua alegria e de sua dor,

E só caçava seus eus maiores que caminham no céu.

Mas o caçador também é a caça,
Porque muitas de minhas flechas deixaram meu arco apenas para procurar meu próprio peito.
E o que voava também era o que rastejava,
Porque quando minhas asas estavam abertas ao sol, sua sombra na terra era uma tartaruga.
E eu, o crente, também era o incrédulo,
Pois muitas vezes toquei com o dedo minha própria ferida para acreditar mais em vocês e ter maior conhecimento sobre vocês.

E é com essa crença e esse conhecimento que digo:
Vocês não estão presos em seus corpos nem confinados em casas ou campos.
O que são vive acima da montanha e vaga com o vento.
Não rasteja ao sol em busca de calor ou cava buracos na escuridão em busca de segurança,
É algo livre, um espírito que envolve a terra e se move no éter.
Se estas são palavras vagas, então não tentem esclarecê-las.
Vago e nebuloso é o princípio de todas as coisas, mas não o seu fim.
E de bom grado eu gostaria que se lembrassem de mim como um princípio.

A vida e tudo o que vive são concebidos na bruma, não no cristal.
E se o cristal for a bruma quando se dissipa?

Gostaria que se lembrassem disso ao se lembrarem de mim:
O que parece mais frágil e aturdido em vocês é o que há de mais forte e mais determinado.
Não foi seu fôlego que ergueu e fortaleceu a estrutura de seus ossos?
E não foi o sonho do qual nenhum de vocês se lembra o que construiu sua cidade e tudo o que há nela?
Se ao menos pudessem ver as marés daquele fôlego, deixariam de ver tudo o mais,
E se pudessem escutar o sussurro do sonho, não ouviriam outro som.

Mas não veem nem escutam, e assim é melhor.
O véu que encobre seus olhos será erguido pelas mãos que o teceram,
E a argila que enche seus ouvidos será perfurada pelas mãos que a moldaram.
E vocês verão.
E vocês ouvirão.
Contudo, não lamentem a cegueira nem se arrependam de terem sido surdos.

Pois nesse dia saberão o propósito oculto de todas as coisas,
E abençoarão a escuridão como abençoariam a luz.

Depois de dizer essas coisas, ele olhou ao redor e viu o capitão de sua embarcação parado junto ao leme, fitando ora as velas infladas, ora o horizonte.
E ele disse:
Paciente, mais que paciente, é o capitão de meu navio.
O vento sopra e as velas estão inquietas;
Até o leme pede orientação;
E, no entanto, calmamente meu capitão aguarda meu silêncio.
E meus marinheiros, que ouvirão o coro do mar maior, também me escutaram com paciência.
Agora não devem esperar mais.
Estou pronto.
O rio chegou ao mar e, mais uma vez, a grande mãe segura seu filho junto ao seio.
Adeus, povo de Orphalese.
Este dia chegou ao fim.
Está se fechando sobre nós como o nenúfar sobre seu amanhã.
O que nos foi dado aqui guardaremos,

E, se não for suficiente, novamente nos encontraremos e juntos estenderemos as mãos àquele que tudo nos deu.

Não se esqueçam de que eu voltarei.

Mais um instante, e meu anseio juntará poeira e espuma para outro corpo.

Mais um instante, um momento de descanso ao vento, e outra mulher me conceberá.

Adeus a vocês e à juventude que passei com vocês.

Ainda ontem nos encontramos em sonho.

Vocês cantaram para mim em minha solidão, e com seus anseios construí uma torre no céu.

Mas agora nosso sono se foi e nosso sonho terminou, e já não é o amanhecer.

O meio-dia está sobre nós, e nosso breve despertar transformou-se em dia pleno, e devemos nos separar.

Se no crepúsculo da memória nos encontrarmos mais uma vez, voltaremos a conversar, e vocês cantarão uma canção mais profunda.

E se nossas mãos se encontrarem em outro sonho, construiremos outra torre no céu.

Assim dizendo, ele fez um sinal aos marinheiros, e imediatamente eles levantaram âncora e soltaram as amarras, movendo-se para o leste.

E um pranto ergueu-se do povo como se viesse de um único coração, elevou-se no crepúsculo e alcançou o mar como uma grande solenidade.

Apenas Almitra ficou em silêncio contemplando o navio até desaparecer na bruma.

E quando todos se dispersaram, ela ficou sozinha no quebra-mar, com a lembrança do que ele havia dito:

**"Mais um instante,
um momento de descanso
ao vento e outra mulher
me conceberá".**

Copyright © Ajna Editora, 2021
Todos os direitos reservados.
Título original: *The prophet*

EDITORES Lilian Dionysia e Giovani das Graças
TRADUÇÃO Elisa Nazarian
PREPARAÇÃO Lucimara Leal
REVISÃO Heloisa Spaulonsi Dionysia
ILUSTRAÇÕES Wagner Willian
PROJETO GRÁFICO E CAPA
Tereza Bettinardi e Gabriela Gennari

2021
Todos os direitos desta edição
reservados à AJNA EDITORA LTDA.
ajnaeditora.com.br

Dados Internacionais e Catalogação na Publicação (CIP)
(Câmara Brasileira do Livro, SP, Brasil)

Gibran, Khalil, 1883-1931
O Profeta / Khalil Gibran; ilustração: Wagner Willian; tradução:
Elisa Nazarian — 1. edição — São Paulo: Editora Ajna, 2021.

Título original: The Prophet
ISBN 978-65-89732-02-0

1. Ficção libanesa   I. Willian, Wagner.   II. Título

21-58652   CDD - L892.7
Índices para catálogo sistemático:
1. Ficção: Literatura libanesa L892.7

Primeira reimpressão [2023]

Esta obra foi composta
em Chiswick Text e impressa
pela Ipsis para a Ajna Editora.